ÉCOL

8535,

Brossard (Québec) J4X 1M7

Pour la première édition publiée
par Kingfisher Books,
dans la collection *My Little Library*,
sous le titre *Baby animals* :
© Larousse plc 1994
© Illustrations Ian Jackson 1989

Pour l'édition française :
© Nathan, Paris 1994

ISBN : 2.09.204 921-6
Numéro d'éditeur : 100 24 155

Illustrations éditées en 1989
sous le titre *All about baby animals* ;
Pages 11 et 17 : Maggie Brand
(Maggie Mundy Agency)

Les mots en italique sont expliqués pages 28 et 29.

Les Bébés Animaux

Michael Chinery

illustré par Ian Jackson

NATHAN

Sommaire

Les préparatifs

Avant d'avoir des petits, les animaux se construisent un abri sûr. Certains s'installent dans un tronc d'arbre creux, d'autres creusent un *terrier*, utilisent un trou dans les rochers ou tissent un nid dans les buissons ou dans un arbre.

Les lapins creusent un terrier.

Les oiseaux construisent des nids.

La gestation

De nombreux bébés animaux grandissent dans le ventre de leur mère jusqu'à ce qu'ils soient prêts à naître. Certains y restent deux ans, d'autres quelques semaines à peine.

Le petit zèbre naît au bout d'un an.

Les animaux qui se développent
dans le ventre de leur mère et
se nourrissent de son lait sont appelés
les mammifères. Le zèbre est un
mammifère tout comme toi !

L'éclosion d'un œuf

De nombreux animaux pondent des
œufs. Chaque œuf contient un bébé
qui se développe dans un liquide
dont il se nourrit. L'œuf éclôt au bout
d'un certain temps et le bébé sort.

Les autruches pondent
des œufs de la taille
d'un ballon de football.

Les *reptiles* pondent aussi des œufs. Les serpents et les crocodiles sont des reptiles.

CONSTRUIS UN SERPENT

Dès l'*éclosion* de l'œuf, les petits serpents se mettent à ramper. Voici comment te faire un serpent.

1 Peins des feuilles de papier en vert. Coupe-les en rubans de 8 cm par 18 cm.

2 Colle chaque ruban pour en faire un tube.

3 Relie ensemble tous les rouleaux avec un fil solide et une aiguille.

4 Dessine deux yeux et colle une langue fourchue rouge.

Se déplacer avec bébé

Tous les animaux ne gardent pas
leurs petits au nid ou dans un terrier.
Beaucoup se déplacent avec eux.
Les petits restent avec leur mère
jusqu'à ce qu'ils soient capables
de se débrouiller tout seuls.

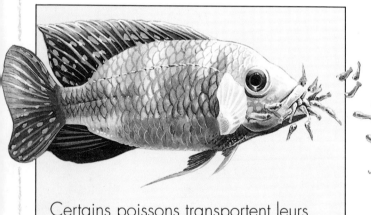

Certains poissons transportent leurs
petits dans leur bouche. Les *alevins*
nagent autour de leur parent mais se
mettent à l'abri au moindre danger.

Le petit kangourou passe ses huit premiers mois bien au chaud dans une poche sur le ventre de sa mère.

La vie familiale

Les petits babouins naissent dans de vastes familles comportant jusqu'à 50 singes. Le petit reste blotti contre sa mère pendant un mois puis elle l'emmène sur son dos.

LES ORPHELINS

Certains petits ne
connaissent jamais
leurs parents. Les
papillons déposent
leurs œufs sur
une feuille puis
s'envolent et les
abandonnent.

15

Se nourrir et grandir

La nourriture est importante,
elle permet au petit de grandir.
Certains animaux trouvent seuls
leur nourriture dès la naissance,
d'autres dépendent de leurs parents.

Ces petits troglodytes sont nourris par leurs parents jusqu'à ce qu'ils soient assez gros pour voler.

La souris allaite ses petits les trois premières semaines, puis ils passent à une nourriture solide.

NOURRIS LES OISEAUX

Place dehors des graines, des fruits secs et tu ne te lasseras pas d'observer les oiseaux qui viendront se nourrir. Tu les aideras également à survivre durant l'hiver. Au printemps, il ne faut plus les nourrir. Ils doivent retrouver les petits insectes qui leur servent à nourrir les petits.

Pour observer les oiseaux, installe-toi confortablement et attends sans bouger et sans faire de bruit.

Les premiers échanges

Les bébés animaux peuvent adresser des messages à leurs parents surtout lorsqu'ils ont faim.

Ces deux phoques se saluent en se frottant le museau.

Beaucoup d'animaux se reconnaissent entre eux à leur odeur. Une mère peut ainsi retrouver son petit au milieu d'autres bébés animaux.

Il est essentiel que les petits
reconnaissent les signaux de danger.
Les singes poussent des cris
ressemblant à des aboiements
pour prévenir du danger.

La protection des petits

La plupart des petits ont besoin
d'être protégés par leurs parents
jusqu'à ce qu'ils puissent se défendre
seuls.

L'hippopotame protège son petit de
la voracité d'un crocodile.

UNE MÈRE ATTENTIVE

Maman crocodile promène ses petits à l'abri dans sa gueule.

À qui sont ces petits ?

Certains petits changent totalement
de forme en grandissant. Peux-tu
attribuer à chaque animal son petit ?

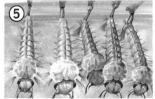

La grenouille

Le moustique

La coccinelle

Le carrelet

Le crabe

Jouer

Les jeux de poursuite et de lutte
fortifient les muscles des petits et
leur apprennent à se défendre ou à
se battre pour trouver leur nourriture.
Les chatons par exemple adorent
s'amuser avec une pelote de laine.

Les petites loutres aiment faire des plongeons.

Les oursons jouent à la bagarre.

Les renardeaux aiment aussi chahuter.

Les noms des bébés animaux

Les bébés animaux sont souvent appelés par un nom qui leur est propre. Par exemple, le petit de la girafe s'appelle le girafeau. Voici les noms de quelques bébés animaux.

1 Le bébé phoque

2 Le chiot

3 Le chaton

4 Le lapereau

5 Le veau

6 L'éléphanteau

Quelques mots difficiles

Alevins Jeunes poissons.

Allaiter Nourrir son bébé de son lait.

Éclosion C'est le moment où le petit animal sort de l'œuf en cassant sa coquille devenue trop étroite.

Gestation C'est le temps que passe un petit mammifère dans le ventre de sa mère.

Loutre Petit mammifère vivant sur les berges des rivières ou des lacs. La loutre passe l'essentiel de son temps dans l'eau.

Reptile Animal respirant directement l'air, recouvert d'écailles et pourvu d'une colonne vertébrale.

Terrier C'est un trou creusé dans le sol formant souvent plusieurs galeries comme un tunnel.